CW00866320

Een Huisdier Alleen voor Mij!

Geschreven door Paula D. Golden

Geïllustreerd door Laura Esthela González

ISBN: 978-1-886730-27-4 Hardcover © 2021

Library of Congress Control Number: 2021906768

Text/Illustrations © 2011 Paula D. Golden
Dutch Translation by ayubowan at Fiverr

All rights reserved.
Alle rechten voorbehouden.

First Hardcover Edition

No part of the publication may be reproduced or transmitted in any form or by any means, electronic or mechanical, includng photocopying, recording, or in a retieval system, without the written permission from the author and publisher, except for brief quotes used in reviews.

WGATAP - Mark 10:27

Printed in the United States of America

All requests regarding reproduction in any form should be emailed to:
Readndream.com
pgolden@readndream.com   p-golden@live.com

Voor ieder kind die ooit zijn of
haar eigen huisdier wil.

Voor elk huisdier dat geduldig heeft
gewacht op een liefdevol baasje.

Mijn vader adopteert een huisdier voor mij.
Wat zou het zijn?

Een hamster?
Een schildpad?
Een huisdier alleen
voor mij!

Ik hoop dat hij zich het huisdier
kan herinneren dat ik wenste.
Ik wenste het op mijn verjaardag,
toen ik vier jaar werd.

Het zou een papegaai
kunnen zijn of misschien
een vis.

Een Siamese kitten
die melk likt van een schoteltje.

Ik kijk uit het raam
om te zien of papa al komt.
De dierenwinkel is niet ver,
dus hij moet in de buurt zijn.

Ik kan niet wachten
om te zien wat hij meebrengt.
Het kan een konijn zijn
met ogen groene ogen.

Daar komt mijn vader,
met een huisdier alleen voor mij.
Het is bedekt met een doek,
zodat ik niet kan zien wat het is.

Er zou een kikker in kunnen
zitten of een hagedis,
om mijn zus bang te maken,
als ze van de glijbaan glijdt.

Ik ren naar mijn vader toe.
Opgenwoden zeg ik,
"Dat moet mijn huisdier zijn,
Ik wil er zo graag mee spelen!"

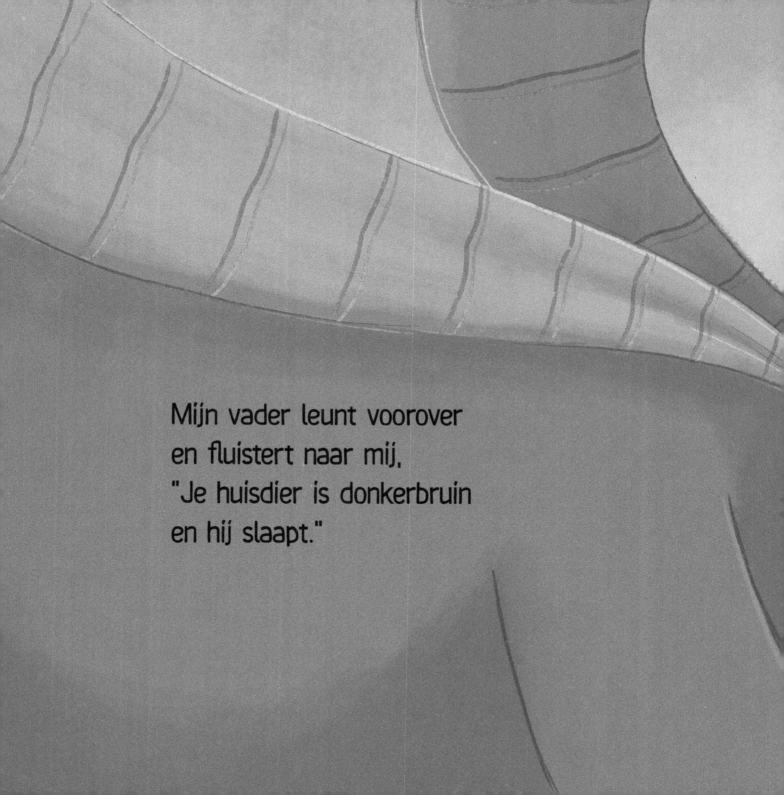

Mijn vader leunt voorover
en fluistert naar mij,
"Je huisdier is donkerbruin
en hij slaapt."

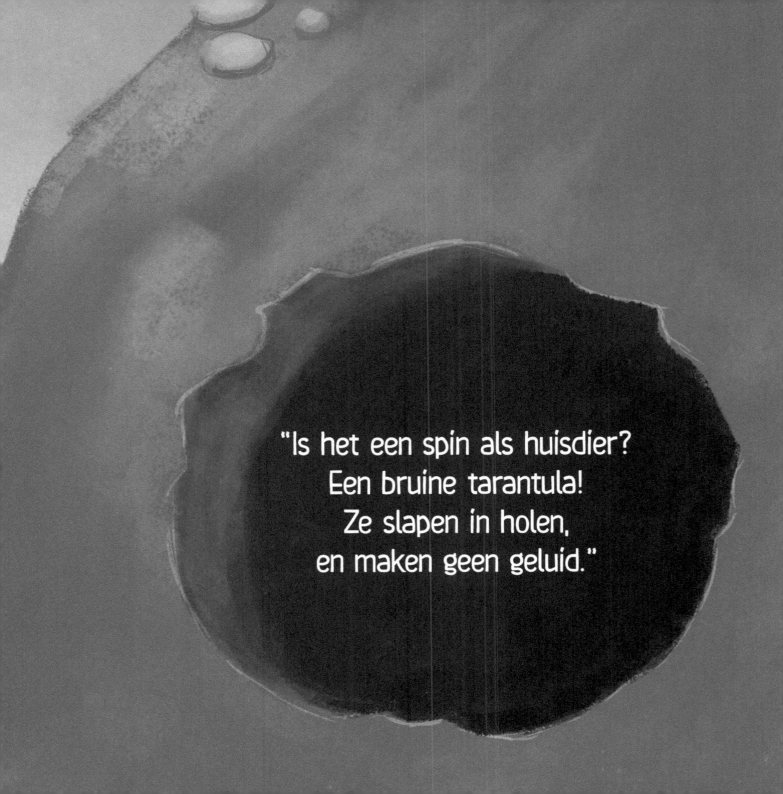

"Is het een spin als huisdier?
Een bruine tarantula!
Ze slapen in holen,
en maken geen geluid."

"Neem maar een kijkje, jongen,
til de doek maar op.
Je huisdier is heel pluizig

en voelt warm en zacht aan."

"Oh, ik weet papa," zeg ik
als ik de doek omhoog til.
"Mijn wens is uitgekomen,
mijn eigen pup!"

"Heel erg bedankt, papa!"

COMING SOON

Ten Cuddly Pandas...And Then There Was One

I Am Not A Scaredy-cat!

I Just Like To Have Fun!

I Am Not A Tomboy!

Mama's Arms

Five Baby Bats

How Do You Think I Got Brown?

A Pet Just for Me!

will be available in the following languages:

French, Spanish, Armenian, and Japanese

New Release

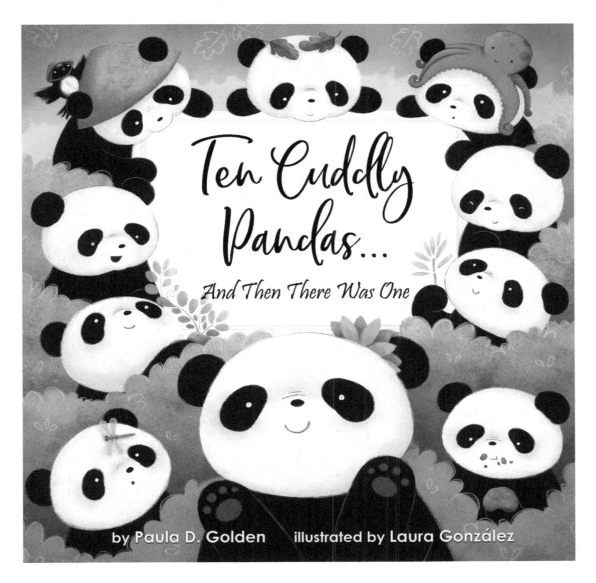

Ten Cuddly Pandas...

And Then There Was One

by Paula D. Golden   illustrated by Laura González

CPSIA information can be obtained
at www.ICGtesting.com
Printed in the USA
BVHW022003030521
606359BV00006B/229

9 781886 730274